S0-AJQ-856

Jouons avec les
CHIFFRES

Texte de Jill Price
Illustrations de Barry Green
Adaptation française de Nicole Ferron

1991 Henderson Publishing Limited

© 1991 Henderson Publishing Ltd
Adaptation française:
© Les éditions Héritage Inc. 1992
ISBN: 2-7625-7112-X
Imprimé en Grande-Bretagne

 Héritage jeunesse

1 Le bûcheron

Jacques scie un tronc en deux, puis encore en deux; il scie ensuite chaque bûche encore une fois en deux.
Si le tronc avait 8 m de long, combien mesure chaque bûche?

2 Chiffres croisés

¹	²	■	³	⁴	⁵
⁶		⁷	■	⁸	
■	⁹		¹⁰		■
¹¹	■	¹²		¹³	■
¹⁴	¹⁵		■	¹⁶	¹⁷
¹⁸		■	¹⁹		

HORIZONTAL
1. 31 + 16
3. 127 × 5
6. 322 + 167
8. 47 + 14
9. 96 × 6
12. 633 – 224
14. 163 + 759
16. 12 × 7
18. 94 – 37
19. 82 × 5

VERTICAL
1. 11 × 4
2. 157 × 5
4. 6 × 6
5. 74 × 7
7. 10,000 – 258
10. 12 × 5
11. 15 × 13
13. 555 + 426
15. 9 × 3
17. 101 – 61

3 Dés emmêlés

La somme des côtés opposés d'un dé est toujours 7. (Tu le savais déjà, non?) Peux-tu trouver les nombres qui manquent sur ces formes dont on peut faire des dés?

4 Voyage moutonneux

En cinq voyages, la remorque du fermier Ernest a transporté un total de 500 moutons. Il y avait en tout 190 moutons dans les deux premiers voyages, 155 moutons dans les deuxième et troisième voyages, 210 moutons dans les troisième et quatrième voyages, et 225 moutons dans les quatrième et cinquième voyages.

Combien y avait-il de moutons dans la remorque au troisième voyage?

5 Argent caché

Le voleur de banque, Arthur Brutus, a caché son butin quelque part dans le parc. En faisant ces opérations faciles, tu peux découvrir la cachette! Commence à la case marquée DÉBUT, en te déplaçant ensuite sur la case qui a le même nombre que le résultat de l'opération précédente. (Tes indices sont les lettres à côté des nombres.) Bonne chasse!

DÉBUT 3 + 7	12: H 10 x 4	32: V 11 x 3	67: A 93 - 47	42: X 19 + 18	46: C 78 - 19	90: E FIN	36: - 3 x 7
80: U 48 - 25	26: G 8 x 4	21: B 47 + 7	17: N 1 x 47	35: D 97 - 46	11: P 18 + 4	31: S 32 + 35	27: - 9 x 9
6: C 31 + 19	33: W 49 - 8	50: A 8 x 7	92: - 10 x 10	10: L 19 - 3	18: O 18 - 5	59: - 59 + 14	54: U 9 - 7
29: N 14 - 7	89: P 2 x 35	41: H 6 x 7	99: I 18 + 11	40: E 14 + 13	24: Q 6 x 3	56: C 4 x 3	70: I 7 x 13
105: T	15: D 5 x 5	60: D 19 x 4	81: D 6 x 5	49: H 41 + 21	22: U 4 + 13	48: - 11 x 2	2: T 33 x 3
25: Y 46 - 20	16: E 4 x 9	13: R 5 x 3	51: - 20 x 3	91: E 7 x 5	88: N 10 x 9	8: S 51 - 3	23: - 54 + 35
100: C 63 - 14	63: N 4 x 2	76: U 23 x 4	47: - 15 + 16	7: - 24 ÷ 4	30: A 9 x 7	73: A 4 x 20	62: E 11 x 8

6 Pèse-les

Étudie ces illustrations et trouve quel plateau
de la dernière balance est le plus lourd.

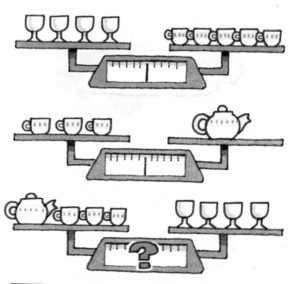

7 Des sommes de points

Si tu as des dominos, essaie de les placer pour
faire des opérations... comme celle-ci :

3	4		1	
			3	

| 1 | 0 | | 2 | 3 |

8 Nombres impairs

Additionne quatre nombres impairs afin d'obtenir un total de 10. De combien de façons différentes peux-tu le faire?

9 Crème glacée

Arthur peut manger une crème glacée en 3 minutes. Combien peut-il en manger en une demi-heure?

10 Des boîtes

Voici un jeu pour deux joueurs.

Il vous faut un crayon chacun.

- Lance une pièce de monnaie pour savoir qui va commencer.
- Le premier joueur joint un point à un autre (de côté ou en bas mais *non* en diagonale).
- Le deuxième joueur fait la même chose.
- Lorsque le quatrième côté d'une boîte est fait, ce joueur écrit son initiale dans la boîte, et continue.
- Le but du jeu est de compléter le plus grand nombre de boîtes.

Comme ceci :

Tu peux facilement faire tes propres grilles, aussi grosses que tu le veux!

Joueur n° 1			Joueur n° 2		
Partie 1	☐	boîtes	Partie 1	☐	boîtes
Partie 2	☐	boîtes	Partie 2	☐	boîtes
Partie 3	☐	boîtes	Partie 3	☐	boîtes
Partie 4	☐	boîtes	Partie 4	☐	boîtes

11 Triangle magique

Peux-tu ajouter les chiffres 3, 4, 5, 6, 7 et 8 le long des côtés de ce triangle de façon à ce que la somme soit 13 de chaque côté?

12 Vite!

Tu as dans ta poche la même somme d'argent que ton copain. Combien devrais-tu lui donner pour qu'il ait 10 cents de plus que toi?

13 Manque de pot

Voici un arrangement de fleurs en pots. Peux-tu numéroter les pots de 1 à 14 afin que la somme de chaque rangée de 4 pots donne 30? Pour t'aider, quelques nombres ont déjà été inscrits.

14 Histoire de 9

Voici une façon inhabituelle d'apprendre ta table de 9. Par exemple, pour faire 4 X 9, tu regardes le chiffre 4 à l'extérieur de l'étang, puis tu lis les chiffres le long de la vague au même niveau. La réponse est 36.

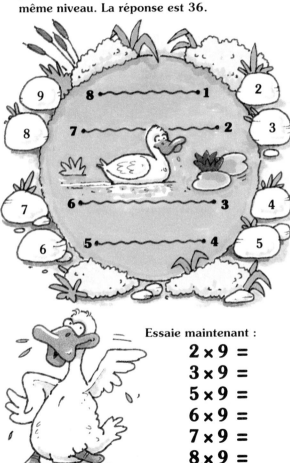

Essaie maintenant :

2 × 9 =
3 × 9 =
5 × 9 =
6 × 9 =
7 × 9 =
8 × 9 =

15 Chiffres cachés

La réponse de chaque problème est cachée
dans les nombres de droite. Peux-tu encercler
chacune de ces réponses?

1. 19×23 = 2 4 3 7
2. $580 \div 20$ = 2 9 0
3. $847 - 593$ = 1 2 5 4
4. 3×98 = 2 9 4 0
5. $189 \div 9$ = 1 2 1
6. $68 + 57$ = 1 1 2 5
7. 19×12 = 1 2 2 8
8. $309 - 88$ = 2 2 1 2

16 Carrés au chocolat

Voici une tablette de carrés au chocolat.
Arthur et Bidule veulent exactement la même
quantité. Comment diviserais-tu le chocolat
d'une seule coupe, en partant de la flèche?

17 Course aux étoiles

Peux-tu ajouter les chiffres qui manquent, de 1
à 12, pour que la somme de chaque ligne soit
la même?

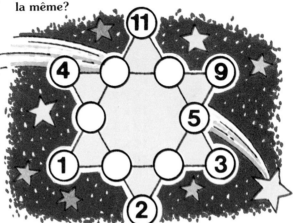

18 Vive le camping!

Au terrain de camping, les campeurs se protègent
de la pluie en se réfugiant sous deux tentes. Si un
des campeurs court de la première tente à
l'autre, le nombre de campeurs à l'intérieur de la
seconde tente sera trois fois supérieur au nombre
de ceux de la première tente.
Si un campeur court de la deuxième tente à la
première, le nombre de campeurs dans les
deux tentes sera égal.
Combien de campeurs y a-t-il dans chacune
des tentes?

19 Pointilleux problème

Trouve les produits des problèmes ci-dessous.
Puis, en suivant l'ordre numérique des
réponses, relie les points qui te révéleront
l'image.

$2 \times 3 =$ _____ $3 \times 26 =$ _____
$3 \times 3 =$ _____ $10 \times 8 \ =$ _____
$5 \times 3 =$ _____ $7 \times 12 =$ _____
$3 \times 9 =$ _____ $29 \times 3 \ =$ _____
$19 \times 2 =$ _____ $8 \times 11 =$ _____
$6 \times 7 =$ _____ $19 \times 5 \ =$ _____
$11 \times 4 =$ _____ $12 \times 8 \ =$ _____
$9 \times 5 =$ _____ $14 \times 7 \ =$ _____
$10 \times 5 =$ _____ $10 \times 10 =$ _____
$9 \times 6 =$ _____
$7 \times 9 =$ _____
$8 \times 8 =$ _____
$9 \times 8 =$ _____

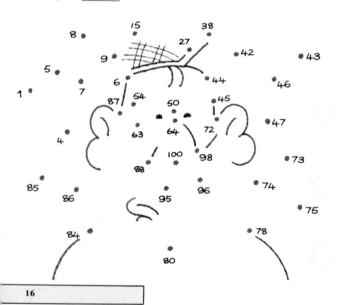

20 Drôles de sacs

Tim apporte à la maison neuf bandes dessinées et quatre sacs. Comment réussit-il à mettre un nombre impair de bandes dessinées dans chaque sac tout en conservant tous les sacs et les bandes dessinées?

21 Image rébus

Résous chaque image rébus et remplace le chiffre par une lettre.
A = 1, B = 2, C = 3, etc.

Il y a 42 pommes.
Combien y en a-t-il dans chaque sac?

Le poids qui équilibrera
les plateaux.

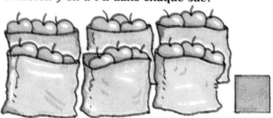

Combien d'heures avant minuit?

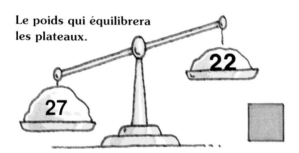

Combien de carrés de sucre reste-t-il si le cheval en mange le quart?

Combien d'objets sont comestibles?

Prends la moitié des cubes.

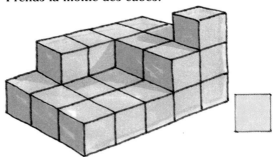

Indice : Ce que tu es!

22 | Champ bien rempli

Peux-tu diviser le champ d'Ernest en six parties afin que dans chacune il y ait un arbre, une vache, un tracteur et un bidon de lait?

23 | Perce le code

A	B	C	D	E	F	G	H	I	J	K	L	M	N	O	P	Q	R	S	T	U	V	W	X	Y	Z
1	2	3	4	5	6	7	8	9	10	11	12	13	14	15	16	17	18	19	20	21	22	23	24	25	26

Peux-tu décoder cette phrase? Tout ce que tu as à faire, c'est d'additionner, de soustraire et de multiplier les nombres et de remplacer les solutions par la lettre appropriée.

$16 + 3$, $3^2 / 4$ x 5, 3 x $7 / 2^2$ x 2^2, $3 + 2$,
3 x 7, 2^2 x $6 / 3$ x 6, $3 + 2$, $10 + 9$, 3 x 5,
3 x 7, $5 - 1$, $10 + 8$, $3 + 2 / 4 - 1$, $3 + 2 /$
$4 - 1$, 3 x 5, $5 - 1$, $6 - 1 / 4^2$, 3 x 5,
$20 + 1$, $10 + 8$, $19 - 2$, 3 x 7, 3 x 5, $3^2 /$
$3^2 + 5$, $6 - 1 / 4^2$, 1^2, $21 - 2 / 3 + 2$, 7 x $2 /$
3^2, 2 x 7, $11 + 11$, $3 + 2$, 7 x 2, 4 x 5,
$3 + 2$, 3 x $6 / 3$ x 7, 2 x 7?

Essaie maintenant celle-ci.

1^2, 4^2, 4 x 4, 3 x 6, $6 - 1$, 2 x 7, 2^2,
3 x 6, $3 + 2 / 2$ x 6, $6 - 1$, $20 - 1 /$
$7 + 6$, 1^2, 5 x 4, $4 + 4$,
$21 - 2 / 6 - 1$, $21 - 2$, 5 x $4 /$
1^2, $7 + 6$, 3 x 7, $21 - 2$, 1^2,
2 x 7, 5 x 4!

24 | Somme totale

Raye 11 de ces chiffres pour que la somme
des 10 chiffres qui restent soit 62.

6 6 6 6 6 6
8 8 8 8 8 8 8
4 4 4 4 4 4 4

25 | Encore des points

Non, ce n'est pas un autre jeu de boîtes (voir
jeu n° 10)!
Peux-tu tracer quatre lignes droites à travers
huit points pour dessiner un carré qui
contiendra dix-sept points et en laissera vingt-
quatre à l'extérieur?

26 Des bûches

Jacques a trois piles de bûches qui contiennent onze, sept et six bûches.
Il veut trois piles identiques, c'est-à-dire huit bûches dans chacune.
Facile, oui! Mais il y a une règle stricte : tu ne peux ajouter à une pile que le nombre qu'elle contient déjà. En d'autres mots, tu ne peux ajouter que six bûches à la pile qui en contient déjà six.
Essaie de résoudre ce problème en trois coups.

27 | Haut la police!

L'agent Sabin soulève l'agent Carrier et
l'agent Bazeau tient les jambes de l'agent
Carrier. Puis, l'agent Bazeau soulève l'agent
Carrier et l'agent Sabin tient les jambes de
l'agent Carrier. Si chaque policier se fait
soulever, de combien de manières peuvent-ils
se soulever les uns les autres?

28 | Rapido

Si tu ajoutes trois signes plus (+) et un signe
moins (-) entre les chiffres ci-dessous, la
réponse sera juste.

9 8 7 6 5 4 3 2 1 = 100

29 Embouteille-le!

Une bouteille contient de l'eau et l'autre du jus d'orange. Si Marie verse un peu d'eau dans la bouteille de jus d'orange, et ensuite la même quantité de plus dans la bouteille d'eau, y aura-t-il plus d'eau dans le jus que de jus dans l'eau?

30 Tic tac toe — avec une différence!

Utilise les chiffres de 0 à 9... mais une seule fois par jeu. Le gagnant est le premier qui fait une ligne de trois chiffres dont la somme est 10.

Ex. :

2		5
	1	
4		

31 Course à la somme

Brutus est-il vraiment traqué par la police?
Fais le calcul à chaque rond-point en
commençant par celui du haut, à gauche,
et suis la route de la bonne réponse. Si tu
obtiens tous les bons résultats,
Brutus a une chance de s'en sortir!

9×9 81

80

18

45

8×5 13

40

56   39   35   50

H   48 7×7

49   28   24

6×4 20

22

45   50

25×2

150

40

G

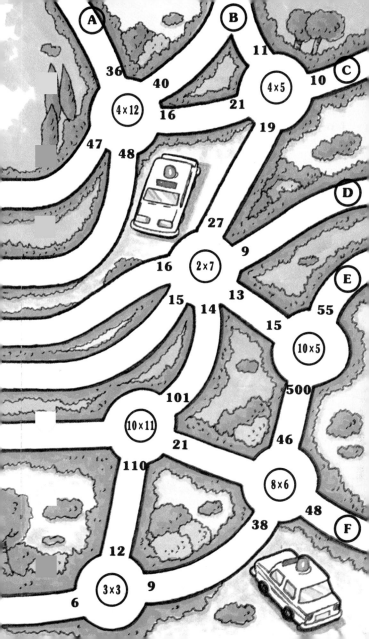

32 Ernest et son enclos

Maintenant que ses moutons sont arrivés à la ferme (voir jeu n° 4), le fermier Ernest doit les placer dans des enclos. Il a treize clôtures qui ferment quatre enclos comme ceci :

Mais il vient d'en trouver une autre et il peut maintenant faire sept enclos.
Comment va-t-il s'y prendre?

33 **Attention, Brutus!**

Brutus a reçu deux montres pour son anniversaire! Le problème c'est qu'aucune ne fonctionne bien; l'une perd une heure par jour et l'autre s'est complètement arrêtée. Laquelle des deux est la plus juste?

34 Étoiles du sport

Marie, Nestor et leurs amis Téo et Katia sont assis dans la classe autour d'une table. Les quatre viennent de gagner les premiers prix en saut, en course, en marathon et en lancer. Étudie ces indices et devine qui est le champion en course.

1. Le meilleur lanceur est assis à la gauche de Marie.
2. Celui qui saute le plus haut est en face de Nestor.
3. Téo et Katia sont côte à côte.
4. Il y a une fille à la gauche du marathonien.

35 Calcule vite!

Additionne ces chiffres. Que remarques-tu?

```
  222      132      131      332
  111      213      223      121
+ 333    + 321    + 312    + 213
```

36 Penses-y!

Les plumes de ce paon mesurent 1 m
lorsqu'elles sont bien déployées. Combien de
paons peux-tu mettre dans une cage vide qui
mesure 4,5 m sur 3 m sur 4,5 m?

37 Visite au musée

Marie et Nestor vont au musée avec leur classe. Pour s'amuser, ils décident de ne visiter chaque section qu'une seule fois. Comment réussissent-ils à voir chaque partie sans retourner deux fois dans la même? Découvre la route en choisissant les bonnes lettres.

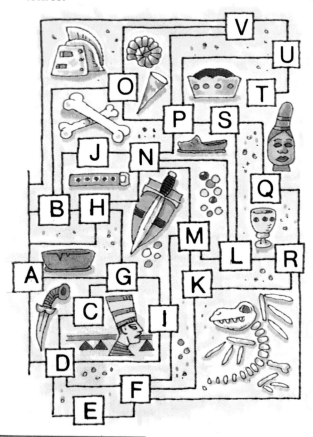

38 Problème de parc

En chemin vers le parc, Brutus compte 43 piquets de clôture, à 1 m de distance l'un de l'autre. Quelle longueur a la clôture?

39 Méli-mélo

Trouve les nombres qui manquent :

a. 0 2 __ 6 8 10
b. 1 4 9 16 25 __
c. 1 __ 5 7 9 11 13
d. 1 1 2 3 5 __ 13
e. 0 2 5 9 __ 20
f. 1 3 9 __ 81 243
g. 2 3 5 9 17 __ 65
h. 1 4 6 9 11 __

40 Casse-carré

Combien de carrés comptes-tu?

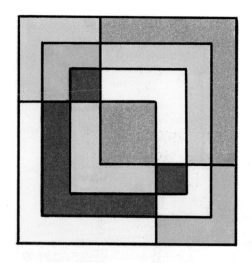

41 Quel âge?

Matthieu a six ans de plus que Lucie.
L'an prochain, il sera deux fois plus âgé
qu'elle.
Quel âge a Matthieu?
Quel âge a Lucie?

42 Sucreries

Nestor veut vendre à Marie quatre chocolats et
trois nougats pour 37 cents
ou
trois chocolats et quatre nougats pour 33
cents.
Combien vaut chaque chocolat?
Combien vaut chaque nougat?

43 Roule, roule

L'image montre un énorme bloc de bois posé
sur trois roues. Chaque roue a une
circonférence de 2 m. Le bloc avance jusqu'à
ce que chaque roue ait accompli un tour
complet.
De combien le bloc a-t-il avancé?

44 Moustique affamé

Ce moustique affamé mange l'équivalent de
son propre poids chaque jour. Le jour 12, il
pèse 12 grammes.
Quel jour le moustique pesait-il 3 grammes?

45 Ramonage

Le travail d'Arsène est de réparer les cheminées — pas seulement les petites, mais les grandes cheminées d'usine. Il doit atteindre le sommet d'une cheminée de 120 m de haut. En une heure, Arsène grimpe pendant 40 m, mais il glisse sur 30 m! (Ne t'inquiète pas, Arsène est attaché à une corde!) Combien de temps prendra Arsène pour atteindre le sommet?

46 Un beau voyage

Il y a neuf pays sur cette carte. Comment ce touriste peut-il visiter chaque pays en ne traversant chaque frontière qu'une seule fois?

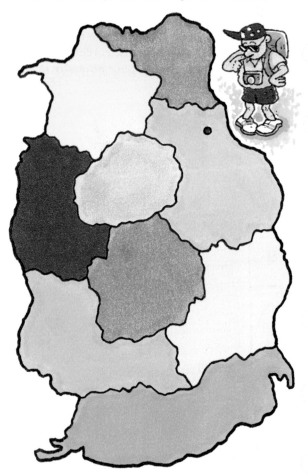

47 | Le maillon manquant

Harold, le cheminot, fait face à un problème.
La forte chaîne qu'il utilise pour tirer les
wagons derrière la locomotive s'est brisée en
cinq! (Les sections sont illustrées plus bas.)
Il faut une demi-heure à Harold pour ouvrir un
maillon et le joindre à un autre.
Quel est le minimum de temps nécessaire à
Harold pour rattacher les cinq sections?

48 Chou-fleur énigme

Deux maraîchers vendent des pommes de terre. L'un d'eux donne un chou-fleur gratuit à chaque client qui achète deux sacs de pommes de terre. L'autre maraîcher donne un chou-fleur avec chaque sac vendu.

À l'ouverture du marché, le matin, les deux éventaires contenaient le même nombre de sacs et le même nombre de choux- fleurs. À la fin de la journée, un maraîcher n'a plus de choux- fleurs, mais il lui reste cinq sacs de pommes de terre. L'autre maraîcher a vendu toutes ses pommes de terre, mais il lui reste cinq choux-fleurs à vendre.

Si chaque client du premier éventaire a acheté deux sacs de pommes de terre, combien de sacs et de choux-fleurs chaque maraîcher avait-il au début de la journée?

49 Un pétrolier

Un pétrolier est amarré au quai. Des mesures sont peintes sur un des côtés. À marée basse, le niveau de l'eau atteint 8 sur l'échelle. À marée haute, l'eau monte de 10 cm. De combien l'échelle descendra-t-elle sous le niveau de l'eau à marée haute?

50 Jongler avec des assiettes

As-tu déjà vu des jongleurs tenir en équilibre toute une rangée d'assiettes sur de fines baguettes? Le truc est de faire tourner les assiettes avant qu'elles ne s'arrêtent et tombent sur le sol!
Voici un truc que tu peux exécuter sans courir autour de la pièce! Tout ce qu'il faut, c'est mettre les sept assiettes sur six rangées. Chaque rangée doit être composée de trois assiettes. Facile? Faut voir...

51 L'alchimiste

L'alchimiste Aristote mélange ses étranges potions dans quatre jarres spéciales. Tout volume de liquide (ou potion magique) totalisant 15 litres exactement peut être mesuré en utilisant les quatre jarres, chacune prise une seule fois. Combien de liquide contient chaque jarre?

52 La table ronde

Quatre amis, Joseph, Téo, Benoît et Pierre soupent autour d'une table. Leur métier : professeur, mécanicien, marchand et pompier. Joseph est à la gauche du professeur, et le mécanicien à la droite de Benoît. Le marchand fait face à Pierre. Qui est le pompier?

53 Bâtons de hockey

Dans un tournoi scolaire, trois équipes de hockey, A, B et C, doivent jouer chacune deux matchs, un contre chacune des deux autres équipes.
Le nombre total des buts enregistrés durant le tournoi est de 11. L'équipe A a compté 4 buts. L'équipe C n'a pas compté. L'équipe A a gagné tous ses matchs et il n'y a pas eu deux résultats identiques. Quel a été le résultat de chaque match?

54 Marathon mathématique

À la moitié du marathon, le coureur qui précédait de trois places le coureur qui a fini sixième précédait de cinq places le coureur qui est arrivé dernier.
Combien de coureurs ont fait le marathon?

Réponses

1 Le bûcheron
Un mètre, à moins qu'il coupe dans le sens de la longueur, ce qui donnera 8 m de long!

2 Chiffres croisés

¹4	²7		³6	⁴3	⁵5
⁶4	8	⁷9		⁸6	1
	⁹5	7	¹⁰6		8
¹¹1		¹²4	0	¹³9	
¹⁴9	¹⁵2	2		¹⁶8	¹⁷4
¹⁸5	7		¹⁹4	1	0

3 Dés emmêlés

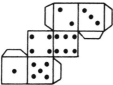

4 Voyage moutonneux
Il y avait 190 moutons dans les deux premiers voyages, et 225 dans les quatrième et cinquième, ce qui fait un total de 415 moutons. Le troisième voyage comptait donc 500 - 415 = 85 moutons.

5 Argent caché
Le - butin - caché - dans - un - sac - au - pied - du - chêne.

6 Pèse-les
Le plateau portant la théière et les tasses.

8 Nombres impairs
Voici les trois différents calculs :
$1 + 1 + 3 + 5$
$1 + 1 + 1 + 7$
$1 + 3 + 3 + 3$

9 Crème glacée
Arthur peut manger 10 crèmes glacées... même si ça le rend malade!

11 Triangle magique

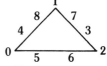

12 Vite!
Tu devrais donner 5 cents à ton ami.

13 Manque de pot

14 Histoire de 9
$2 \times 9 = 18$ $6 \times 9 = 54$
$3 \times 9 = 27$ $7 \times 9 = 63$
$5 \times 9 = 45$ $8 \times 9 = 72$

15 Chiffres cachés
1. 437
2. 29
3. 254
4. 294
5. 21
6. 125
7. 228
8. 221

16 Carrés au chocolat

Coupe la tablette de la façon suivante :

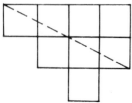

17 Course aux étoiles

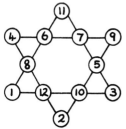

18 Vive le camping!

3 et 5 campeurs.

19 Pointilleux problème

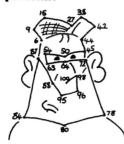

20 Drôles de sacs

Tim met trois bandes dessinées dans trois sacs et met ces trois sacs dans le quatrième sac!

21 Image rébus

Génial!

22 Champ bien rempli

23 Perce le code

Si tu peux résoudre ce code, pourquoi ne pas en inventer un?
Apprendre les maths est amusant!

24 Somme totale

Raye 6 six, 2 huit et 3 quatre.

25 Encore des points

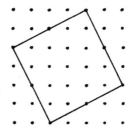

26 Des bûches
Commence avec 11, 7, 6.

1er coup : Enlève 7 bûches de la pile de 11 et mets-les sur la pile de 7. Tu as 4, 14, 6.

2e coup : Enlève 6 bûches de la nouvelle pile de 14 et mets-les sur la pile de 6. Tu as 4, 8, 12.

3e coup : Enlève 4 bûches de la nouvelle pile de 12 et mets-les sur la première pile. Tu as 8, 8, 8.

27 Haut la police!
Les policiers peuvent se soulever l'un et l'autre de six façons différentes.

28 Rapido
$98 - 76 + 54 + 3 + 21 = 100$

29 Embouteille-le
Non, il y a la même quantité dans chaque bouteille.

31 Course à la somme
Brutus choisit la sortie F.

32 Ernest et son enclos

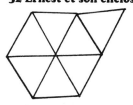

33 Attention, Brutus!
La montre qui est complètement arrêtée est plus juste parce qu'elle donne l'heure exacte deux fois par jour. L'autre n'est juste que tous les douze jours.

34 Étoiles du sport
Marie est la championne de course. Voici comment ils sont placés:

Marie

Téo   Nestor

Katia

36 Penses-y!
Un seul paon parce qu'alors la cage ne sera plus vide! Oh! la la!

37 Visite au musée
Voici la route :

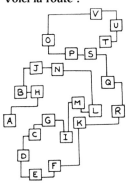

38 Problème de parc
La clôture mesure 42 m de long.

39 Méli-mélo
a. 4   e. 14
b. 36   f. 27
c. 3   g. 33
d. 8   h. 14

40 Casse-carré
Il y a 14 carrés.

41 Quel âge?
Matthieu a 11 ans
Lucie, 5 ans.

42 Sucreries
Un chocolat coûte 7 cents et un nougat, 3 cents.

43 Roule, roule
Il faut ici penser à deux mouvements, celui du bloc sur les roues et celui des roues sur le sol. Lorsque les roues ont fait un tour complet, le bloc s'est déplacé de 2 m sur les roues et les roues se sont déplacées de 2 m sur le sol, donc le bloc a avancé de 4 m.

44 Moustique affamé
Le jour 10.

45 Ramonage
12 heures.

46 Un beau voyage

47 Le maillon manquant
Harold prendra au moins 1 heure 30 minutes. Il n'a besoin d'ouvrir que la section de 3 maillons pour s'en faire 3 liens. À l'aide de ces liens, il peut attacher ensemble les 4 sections qui restent.

48 Chou-fleur énigme
Chaque éventaire a 20 sacs de pommes de terre et 15 choux-fleurs en début de journée.

49 Un pétrolier
La même chose qu'à marée basse. La hausse du niveau de l'eau n'a aucun effet sur l'échelle puisque le bateau flotte SUR l'eau. L'échelle va changer si le pétrolier est chargé ou déchargé.

50 Jongler avec des assiettes

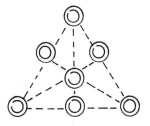

51 L'alchimiste
1, 2, 4 et 8 litres.

52 La table ronde
Téo est le pompier et il est assis en face de Benoît.

53 Bâtons de hockey
A et B, 2 - 1, 1 - 1
A et C, 1 - 0, 0 - 0
B et C, 2 - 0, 3 - 0

54 Marathon mathématique
Huit coureurs.